Meet big **W** and little **w**.

Trace each letter with your finger and say its name.

1

W is for

walrus

W is also for

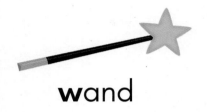

wand

worm

wolf

watermelon

3

Ww Story

One day, a lonely **w**alrus
found a magic **w**and.

He **w**aved it and said,
"I **w**ill **w**ish for two pals."

5

Wowie, zowie!
It **w**as a **w**iggly **w**orm!

Wowie, zowie!
It was a wise wolf!

Then, the **walrus wished** for
three **wedges** of **watermelon**.
They **were wonderful**!